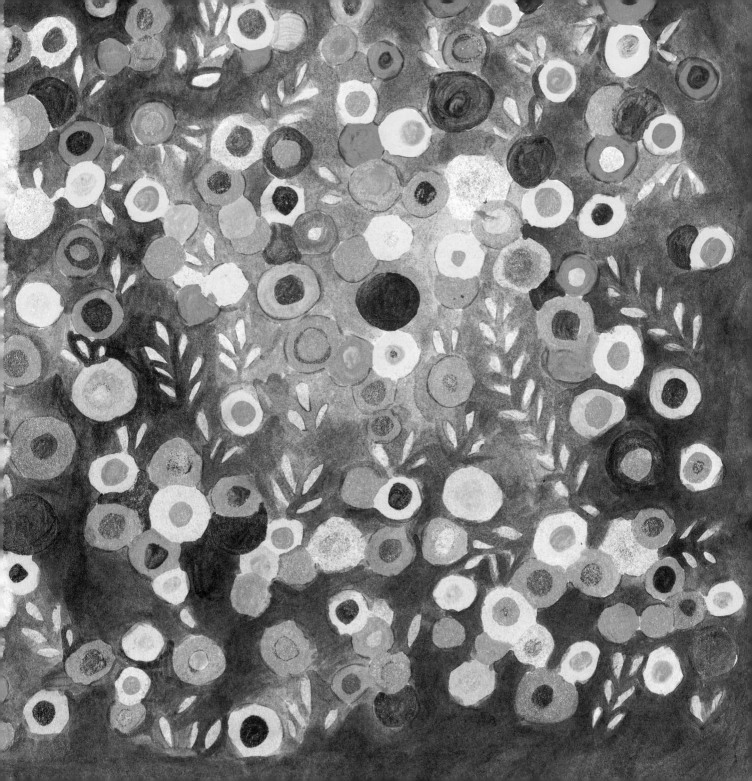

Croquette
devient grand frère

Texte d'Armelle Renoult
Illustrations de Claire Frossard

AUZOU

— Croquette ! appelle papa lapin.
Trois petits bonds plus tard surgit du terrier
une adorable boule de fourrure grise.

Papa fronce son petit nez rond en tendant un bouquet
de jeunes carottes bien tendres à Croquette.
— Maman vient d'avoir ses bébés ! En route, mon grand !
Nous allons lui porter ce cadeau et embrasser tes nouveaux
petits frères. Dépêchons-nous ! Grand-mère est déjà
sur place avec le reste de la famille.

Croquette est tout content.
Il attendait cet instant depuis longtemps.
Maman ne va plus avoir son ventre rond.

Elle va de nouveau jouer avec lui et être moins grognon.
Et puis, youpi ! Il aura plein de frères et sœurs
pour s'amuser avec lui.

Vite ! Il se débarbouille le museau avec ses pattes
et file rejoindre papa qui l'attend déjà sur le chemin.
Pas le temps pour batifoler !

À l'hôpital des lapins, il est tout impressionné.
Il serre son bouquet de carottes très fort contre lui.
Au fond du couloir, ça sent vraiment une odeur bizarre.

Maman semble toute fragile dans son lit.
Elle paraît fatiguée, mais elle lui sourit.

Tout autour d'elle dort une portée de bébés lapins.
Ils sont tout petits et tout nus. Ils n'ont pas de poils.
Leur peau a des reflets roses.
Beurk ! Ils sont vraiment affreux, pense Croquette.

Il sourit à Maman. C'est sûr, ces petites bêtes fripées
sont bien moins intéressantes que moi, se dit-il.
Maman doit être déçue !

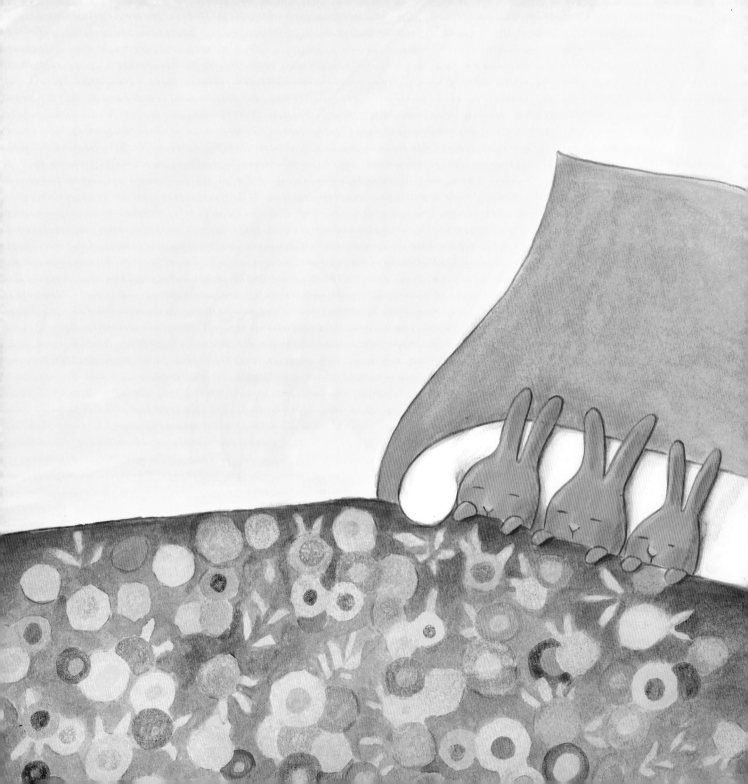

C'est pour cela que papa lui a confié ces belles carottes,
c'est pour la consoler. Il lui tend son bouquet, tout confiant.

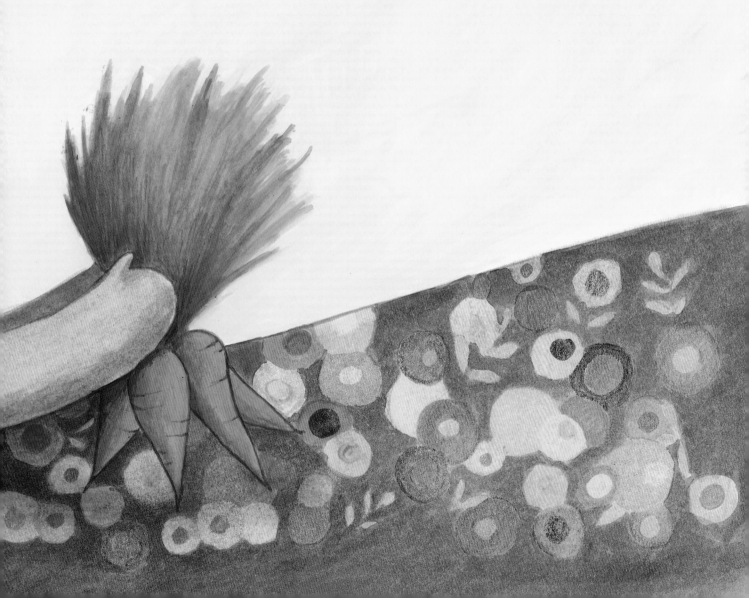

Pourtant, personne ne fait attention à lui.
Grand-mère n'a d'yeux que pour ces étranges choses
qui s'agitent. Maman les câline tendrement contre elle.
Que se passe-t-il donc ? se demande Croquette.

Mais, soudain, un coup de coude taquin le fait sursauter.
C'est Pissenlit, son grand frère. Celui-ci lui murmure à l'oreille :
— Ils sont trop moches, tu ne trouves pas ?
Rassure-toi, tu étais exactement pareil quand tu es né !
dit-il en éclatant de rire. Au début, j'étais un peu déçu,
mais tu es vite devenu mon petit frère adoré. T'en fais pas, ça ira !

Pissenlit, plein de malice, déclare encore :
— Tu verras, avec les bébés, nos parents seront trop occupés
pour nous surveiller. Nous allons pouvoir bien nous amuser !
Ils ne sont pas très intéressants pour l'instant, mais attends
qu'ils grandissent et prennent un peu de poil !
Ce sera à nous de jouer ! On va en faire des lapereaux
comme il faut.

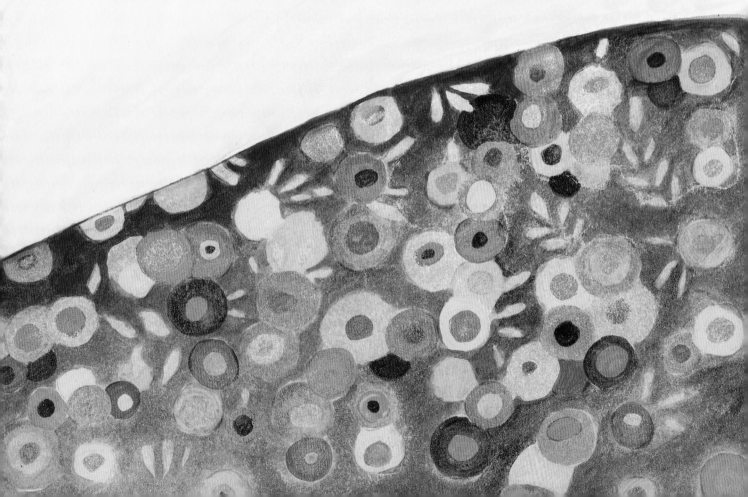

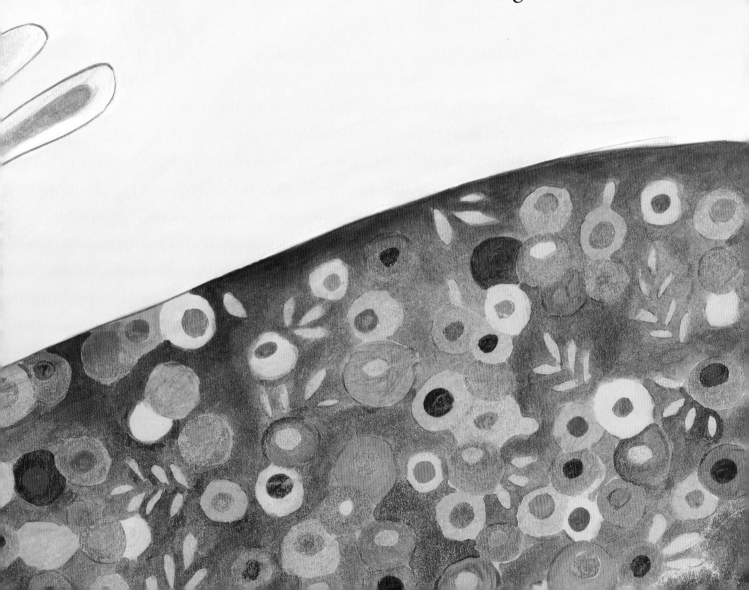

— C'est vrai ? demande Croquette, plein d'espoir.
— Croix de bois, croix de fer, c'est nous les grands frères !

— Croquette, tu viens me faire un bisou ? demande maman.
— Tu sais, maman, je suis un grand frère maintenant, annonce-t-il fièrement.

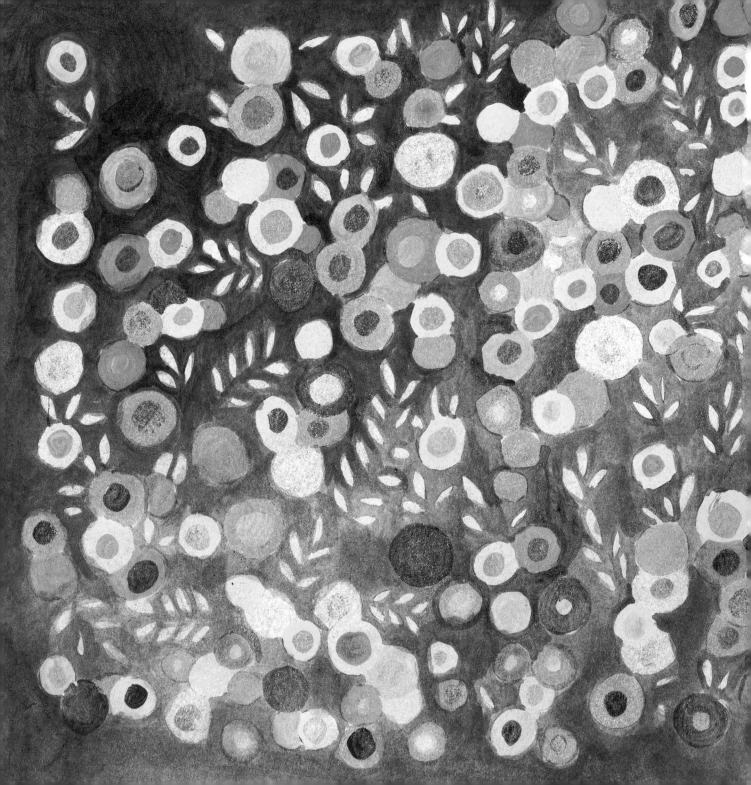